누에콩과 콩알 친구들을 만나요

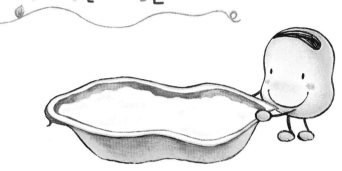

나는 누에콩이에요. 이 콩깍지 침대는
내가 가장 소중히 여기는 거예요.

우리는 완두콩 형제들이에요.

우리는 길고 긴 강낭콩 형제들이에요.

나는 초록풋콩이에요.

나는 땅콩이에요.

나는 껍질콩이에요.

누에콩과 콩알 친구들

누에콩이 침대에서 낮잠을 자고 있었어요. "누에콩아, 일어나! 일어나 봐!"
완두콩 형제들이 허둥지둥 달려와 말했어요.

"왜 그래? 무슨 일이야?" 누에콩이 묻자 땅콩이 대답했어요.

"이것 봐. 이상한 게 있어."

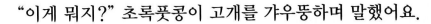

"이게 뭐지?" 초록풋콩이 고개를 갸우뚱하며 말했어요.

"살아 있는 건가?" 껍질콩도 한마디 하고요.

"우리 한번 잡아당겨 볼까?" 완두콩 형제들이 말했어요.

모두 힘을 합해 잡아당겨 보기로 했어요.
"영차! 영차! 영차!"
그런데 아무리 당겨도 끝이 보이지 않아요.
"영차! 영차! 영차!"
잡아당기고, 잡아당기고, 또 잡아당겼더니……

떼구루루, 콩들이 굴러 떨어졌어요.
"어! 너희들은 누구니?"

"우리는 길고 긴 강낭콩 형제들이야!
낮잠 자는데 잡아당기면 어떻게 해!" 제일 큰 강낭콩이 화를 냈어요.

"우와! 이게 너희 침대니?"
땅콩과 초록풋콩이 물었어요.
"와, 대단하다!" "침대가 참 길구나!"
완두콩 형제들과 껍질콩도 신기해했어요.
"치, 그래도 내 침대가 더 좋아!"
누에콩이 말했어요.

"어때? 폭신폭신한 내 침대, 정말 크고 멋있지?"
누에콩이 자랑스럽게 말했어요.

그러자 강낭콩 큰형이 말했어요. "흥! 우리 침대보다 훨씬 짧네, 뭐."

그 말에 누에콩과 완두콩 형제들은 잔뜩 화가 났어요.
"누에콩의 침대가 얼마나 잠이 잘 오는데!
썰매도 탈 수 있고, 뱃놀이도 할 수 있어."
"흥, 우리 침대도 다 할 수 있어!"
"그럼, 누구 침대가 더 좋은지 내기해 볼까?"

모두 작은 언덕으로 올라갔어요.

"침대를 타고 먼저 내려가는 쪽이 이기는 거다! 준비- 땅!"

누에콩과 친구들은 누에콩의 침대로 폴짝 뛰어올라 스륵스륵
바람을 가르며 미끄러져 내려갔어요.

누에콩의 침대는 정말로 멋지다네.
썰매가 되어 스르륵 스륵스륵-

와! 누에콩과 친구들은 정말 빠르게 내려갔어요.
그런데 강낭콩 형제들은 느긋하게 침대를 돌돌 말고만 있었어요.
그러다 침대를 확 펼치면서 말했어요. "금방 따라잡아 주지!"

눈 깜짝할 사이에 침대가 미끄럼틀로 변했어요!
강낭콩 형제들은 침대를 타고 쌔-앵 내려왔어요.
"와하하하하! 우리가 이겼다!"
깜짝 놀란 누에콩과 친구들을 보며 강낭콩 큰형이 웃음을 터뜨렸어요.

"좋아, 그럼 이번에는 웅덩이에서 해 보자.
먼저 건너편에 닿는 쪽이 이기는 거야. 준비- 땅!"
누에콩과 친구들은 누에콩의 침대를 물에 띄워 영차, 영차 노를 저었어요.

누에콩의 침대는 정말로 멋지다네.
근사한 배가 되어 두둥실 두리둥실-

"형, 우리도 빨리 출발해야지."
강낭콩 막내가 안달했어요.
"괜찮아, 걱정 마." 강낭콩 큰형은 자신만만했어요.

누에콩과 친구들이 신나게 노를 젓고 있는데, 타다닥 타다다닥!
어느새 강낭콩 형제들이 누에콩과 친구들을 앞질러 가요.
"와하하하! 우리 먼저 간다!"

"앗! 어느 틈에 왔지?"
누에콩과 친구들은 이번에도 깜짝 놀라고 말았어요.

강낭콩 형제들은 침대를 걸쳐 다리를 만들고,
순식간에 넓은 웅덩이를 건넜어요.
"역시 우리 침대가 최고지!" 강낭콩 큰형이 우쭐대며 말했어요.

"내 침대가, 내 침대가 세상에서 제일 좋은데……."
누에콩은 너무너무 슬펐어요.
"누에콩아, 힘내." 친구들은 너도나도 누에콩을 위로했어요.

그때예요. 껍질콩이 큰 소리로 외쳤어요.

"얘들아, 저기 물에 빠진 애가 있어!"

물속에서 강낭콩 막내가 허우적거리고 있었어요.
"앗, 큰일이다!" 누에콩과 친구들은 재빨리 되돌아갔어요.

"자, 어서 이걸 잡아!"
완두콩 형제들이 노를 길게 뻗어 강낭콩 막내를 구해 주었어요.

"형, 추워!" 강낭콩 막내가 벌벌 떨었어요.
형들은 막내를 따뜻하게 해 주려고 열심히 애를 썼어요.

그러자 누에콩이 말했어요. "내 침대를 써!"

누에콩은 자기 침대에 강낭콩 막내를 눕혔어요.
"걱정 마. 폭신폭신한 내 침대에서 자면 금방 나을 거야."
모두 함께 밤을 새워 막내를 돌봤어요.

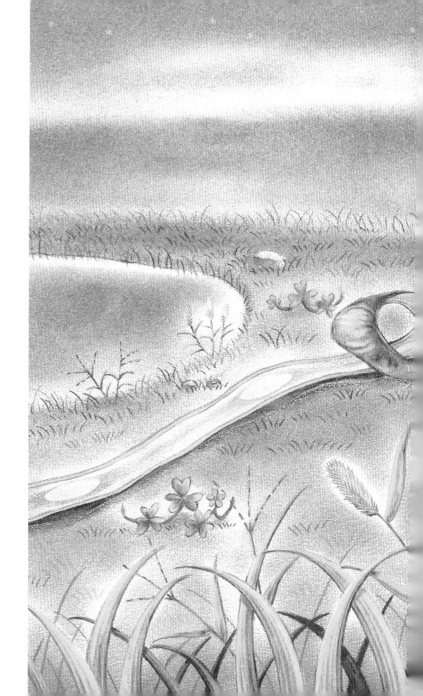

아침이 되었어요. 강낭콩 막내가 잠에서 깨어나자,
큰형이 걱정스레 물었어요. "괜찮니?"

"응. 이제 괜찮아!
누에콩의 침대가 폭신폭신하고 따뜻해서 기분 좋게 잤어!"
그러자 강낭콩 큰형이 말했어요.
"누에콩아, 고마워! 네 침대 덕분이야. 나도 네 침대에서 한번 자 보고 싶은걸."

밤이 되었어요.

누에콩은 강낭콩 형제들을 폭신폭신한 자기 침대로 초대했어요.

모두 함께 쌔근쌔근 쿨쿨- 무슨 꿈을 꾸고 있을까요?

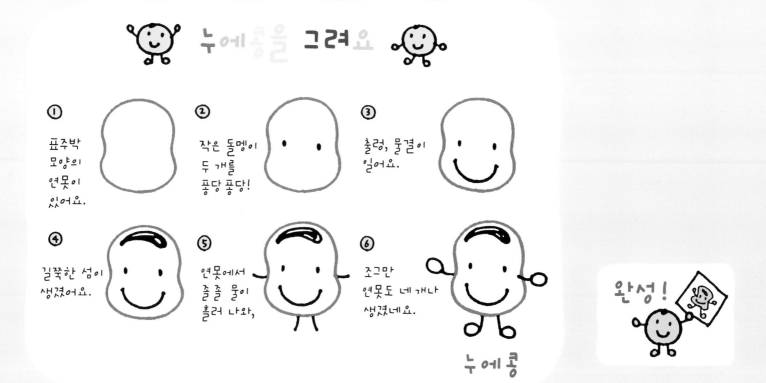

누에콩을 그려요

① 표주박 모양의 연못이 있어요.

② 작은 돌멩이 두 개를 풍당풍당!

③ 출렁, 물결이 일어요.

④ 길쭉한 섬이 생겼어요.

⑤ 연못에서 졸졸 물이 흘러 나와,

⑥ 조그만 연못도 네 개나 생겼네요.

누에콩

완성!

글을 쓰고 그림을 그린 **나카야 미와**는 1971년 일본에서 태어나 대학에서 조형과 그래픽을 전공하고, 산업 제품 디자이너로 일했습니다. 지금은 프리랜서로 활동하면서 그림책을 공부하고 있습니다. 작품으로는 〈까만 크레파스〉 〈누에콩의 침대〉 등이 있습니다.

글을 옮긴 **김난주**는 경희대 국문과를 졸업하고 일본에서 일본 근대문학을 연구했습니다. 옮긴 책으로는 〈까만 크레파스〉 〈우리 누나〉 등이 있습니다.

웅진 주니어

누에콩과 콩알친구들

초판 1쇄 발행 2004년 3월 31일 | 초판 58쇄 발행 2023년 6월 1일 | 글·그림 나카야 미와 | 옮김 김난주 | 발행인 이재진 | 편집장 안경숙 | 편집인 이화정 | 편집 김혜진 | 디자인 전혜순
마케팅 정지운, 박현아, 원숙영, 신희용, 박소현, 김지윤 | 제작 신홍섭 | 펴낸곳 (주)웅진씽크빅 | 주소 경기도 파주시 회동길 20 (우)10881 | 문의전화 031)956-7404(편집), 031)956-7088, 7569(마케팅)
홈페이지 www.wjjunior.co.kr | 블로그 blog.naver.com/wj_junior | 페이스북 facebook.com/wjbook | 트위터 @wjbooks | 인스타그램 @woongjin_junior | 출판신고 1980년 3월 29일 제 406-2007-00046호
제조국 대한민국 | 원제 そらまめくんと がいまめ | 한국어판 출판권 ⓒ 웅진씽크빅, 2004 | ISBN 978-89-01-04488-0·978-89-01-02697-8(세트)
SORAMAMEKUN TO NAGAI MAME by NAKAYA Miwa | All rights reserved. Originally published in Japan by SHOGAKUKAN INC.,
Tokyo. Korean translation rights arranged with SHOGAKUKAN INC., Japan through THE SAKAI AGENCY and BC AGENCY.